D1463046

Clémence ment tout le temps

Licensed By:

Hasbro et son logo, Littlest PetShop et son logo
ainsi que tous les personnages connexes sont des marques de commerce
appartenant à Hasbro et sont utilisés avec leur permission.
© 2012 Hasbro. Tous droits réservés.

© Hachette Livre, 2012.

Conception graphique du roman : Audrey Thierry.

Hachette Livre, 43, quai de Grenelle 75015 Paris.

Clémence ment tout le temps

Raconté par Katherine Quénot

hachette
JEUNESSE

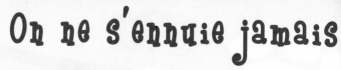

On ne s'ennuie jamais

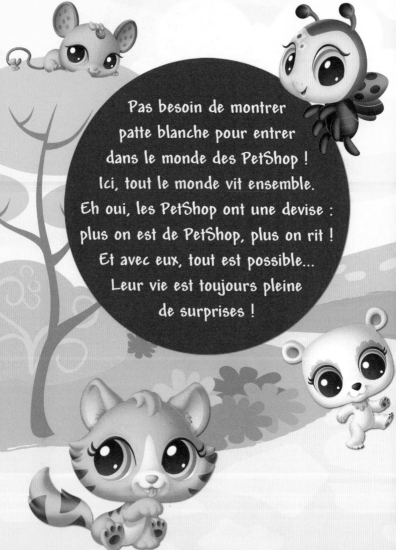

Pas besoin de montrer
patte blanche pour entrer
dans le monde des PetShop !
Ici, tout le monde vit ensemble.
Eh oui, les PetShop ont une devise :
plus on est de PetShop, plus on rit !
Et avec eux, tout est possible...
Leur vie est toujours pleine
de surprises !

avec les PetShop !

Les histoires racontées dans
ce livre ont été traduites
du langage des PetShop

Les héros des histoires

Clémence, la jument

Tous les scientifiques le disent, un PetShop ment au moins deux fois par jour. Ce n'est pas beaucoup ! La plupart des mensonges ne sont pas graves du tout. Mais certains PetShop mentent plus que d'autres et même beaucoup plus. Clémence, une jolie jument beige au ruban rose, est une grosse menteuse. Mais elle ne sait pas pourquoi : c'est plus fort qu'elle ! Les histoires lui sortent toutes seules de la bouche. Ce qui n'arrange rien, c'est qu'elle ment très bien. Tout le monde la croit !

Adrien, le cocker

Ce que préfère Adrien le plus au monde, c'est chanter ! Son rêve serait de devenir chanteur. Hélas, c'est impossible ! Le cocker est tellement timide qu'il est incapable de chanter devant les autres PetShop. Il perd tous ses moyens, devient tout rouge, sa voix faiblit et il se met à trembler. En fait, sa timidité est un véritable boulet ! À cause d'elle, il ne peut rien faire comme les autres. Et, comme il n'ose aborder personne, les autres PetShop croient qu'il veut rester dans son coin et il est de plus en plus seul...

Notre planète est très vaste et très variée et les PetShop qui y vivent sont parfois très différents ! Beaucoup de PetShop adorent voyager pour découvrir le monde, mais Jacques, lui, n'a pas envie de bouger. Le singe cuisinier trouve que c'est dans son pays qu'on mange le mieux et que la vie est la plus agréable ! Pourtant, des PetShop de tous les pays viennent dans son restaurant et ils lui disent que chez eux, c'est très bien aussi. Jacques a du mal à les croire...

Jacques, le singe

1

Clémence

Allongée sur son canapé dans son studio du quartier des chats, Clémence, la jolie jument beige au ruban rose, rêve… Elle imagine sa maison des Bahamas qui possède une piscine olympique, trois jacuzzis, un sauna, une salle de sport et un aéroport privé... Elle s'y rend en jet privé au moins une fois par mois ! Son amie Isadora, une danseuse étoile qu'elle a connue chez des amis producteurs de ciné-ma, va souvent s'y reposer entre deux de ses spectacles autour du monde. Elles sont si amies que Clémence lui a même donné les clefs de sa maison pour qu'elle y aille quand ça lui plaît ! Pendant tout le dimanche, la jument s'est

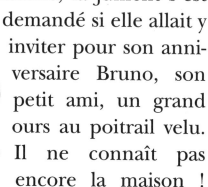

demandé si elle allait y inviter pour son anni-versaire Bruno, son petit ami, un grand ours au poitrail velu. Il ne connaît pas encore la maison !

Elle savoure d'avance sa surprise quand elle l'emmènera à l'aéroport, qu'ils prendront son jet privé, puis qu'ils débarqueront aux Bahamas, dans sa maison de rêve !

Clémence a un sourire jusqu'aux oreilles en pensant à tout cela. Il y a juste un problème : sa maison des Bahamas n'existe pas. Isadora et Bruno non plus, d'ailleurs. Du moins, ils n'existent que dans son imagination ! Or, la jument commence à avoir du mal à faire la différence entre le rêve et la réalité…

Le lundi matin, avant de partir au salon de coiffure où elle travaille, Clémence se maquille soigneusement. Mais pas pour avoir l'air d'avoir bonne mine, au contraire. Surtout pas d'anticernes ! De l'ombre à paupières grise et beaucoup de mascara !

Quand la jument arrive au salon, tous les PetShop qui travaillent avec elle sourient derrière leurs moustaches. Comme d'habitude, la jument a une tête à avoir fait la fête toute la nuit...

— Salut Clémence ! lui lance Judith, la petite loutre qui occupe la table de coiffure à côté de la sienne. Dis donc, ma belle, tu n'as pas l'air d'avoir beaucoup dormi, toi !

— Ne m'en parle pas ! répond Clémence en bâillant à s'en décrocher la mâchoire. Je suis morte !

Isadora est venue me voir ce week-end et elle m'a traînée en boîte de nuit !

— Quelle chance ! Tu me la présentes quand, ton amie Isadora, j'aimerais trop la connaître !

— Bien sûr, mais là, malheureusement, elle repart en tournée.

— Où ça ?

— Euh, aux Bahamas, improvise Clémence.

— Aux Bahamas ? Quelle chance ! J'aimerais trop aller aux Bahamas !

Clémence se mord les babines. Un peu plus, et elle parlait de sa maison… Elle se serait sentie obligée de l'inviter, et la situation aurait vraiment été très compliquée !

Tandis que Clémence accueille sa première cliente, une lionne à la magnifique crinière blonde, elle se demande pourquoi elle passe son temps à mentir ainsi. C'est un engrenage infernal, car un mensonge en appelle un autre, puis un autre encore : c'est sans fin ! Si Judith et les autres PetShop du salon apprenaient que tout ce qu'elle leur raconte est faux, ils ne comprendraient pas et la détesteraient. Hélas, c'est plus fort qu'elle. Elle aime tellement lire l'admiration dans leurs yeux quand elle leur raconte ses soirées ou ses week-ends ! Au fond, elle se sent obligée de mentir, car sa vraie vie n'est pas intéressante du tout… Et elle non plus, d'ailleurs.

— Tu as vraiment trop de chance dans la vie, lui glisse Judith tandis que sa cliente s'installe, tu devrais en laisser un peu pour les autres !

— Ton tour viendra, c'est moi qui te le dis ! lui répond Clémence d'un ton encourageant.

Elle ne croit pas si bien dire, car le lendemain, coup de théâtre ! Pour une fois, ce n'est pas Clémence qui raconte les péripéties de sa soirée, c'est Judith. La jeune loutre est resplendissante.

— Clémence, tu m'as porté bonheur ! J'ai un petit copain moi aussi !

— C'est pas vrai ? hennit Clémence. Raconte vite !

Judith ne se fait pas prier et il ne fait aucun doute que Gontran, son nouveau petit ami, un jeune crocodile aux dents longues, existe vraiment.

Évidemment, impossible pour Clémence d'avouer que Bruno est un pur produit de son imagination ! La jument passe donc sa journée à parler avec Judith de petits copains et d'histoires de cœur.

Ce soir-là, après sa journée de travail, la jument rentre chez elle, assez déprimée. Alors que Judith revoit son crocodile de son côté, elle est seule comme d'habitude devant sa télé, à grignoter des cochonneries qui font grossir. La jument pense à son amie Isadora, si belle, si élancée, qui lui conseillerait sûrement de faire attention à sa ligne… Puis elle se rappelle qu'Isadora n'existe pas !

Encore plus déprimée, elle éteint la télé, va jeter à la poubelle son paquet de chips et décide de lire un roman. Au moins, quand elle lit, elle peut laisser libre cours à son imagination sans mentir à personne !

La jument prend dans sa bibliothèque un livre dont elle n'avait parcouru que quelques pages, il y a très longtemps.

— Oh ! s'exclame-t-elle.

À l'intérieur, il y a une photo qu'elle avait utilisée pour marquer sa page. La jument écarquille les yeux. Cette photo représente un copain qu'elle a complètement perdu de vue depuis des années, parce qu'il a déménagé loin de son quartier. Elle a oublié son prénom, mais c'est un ours. Un ours… comme Bruno ! La petite jument se met à sourire, à sourire…

Le lendemain, au salon de coiffure, Clémence est toute fière de montrer à Judith la photo de son petit ami.

— Oh ! s'exclame Judith. Qu'il est beau !

Clémence en rougit jusqu'au bout de ses oreilles. Elle est si contente qu'elle invente de nouvelles anecdotes sur sa relation avec Bruno. La jument a une imagination débordante !

— Vous en avez de la chance, mademoiselle ! s'exclame l'une de ses clientes, une renarde venue se faire boucler la queue, tout en glissant un œil perçant sur la photo.

— C'est vrai, répond Clémence, Bruno est le plus merveilleux des PetShop.

— Je vous souhaite tout le bonheur du monde, dit aimablement la renarde en regardant une nouvelle fois la photo avec intérêt.

Clémence range sa photo et, tandis qu'elle prépare ses bigoudis, la renarde l'observe dans le miroir en réprimant un sourire. Aucun doute possible. Elle connaît le PetShop de cette photo. Et même très bien : c'est son voisin ! Le seul hic est qu'il ne s'appelle pas Bruno, mais Bernard, et qu'il vit, non avec une jument beige au ruban rose, mais avec une chatte rose au ruban beige ! Cette petite jument est une sacrée menteuse ! On ne l'aurait pas cru, avec ses grands yeux innocents…

— Je ne vous fais pas mal ? demande Clémence en prenant une touffe de poils de la queue de la renarde pour l'enrouler autour d'un bigoudi.

— Pas du tout, répond la cliente avec un grand sourire. Comme le dit mon voisin, Bernard, il faut souffrir pour être belle ! Il vous plairait, Bernard…

Un peu plus tard, dans l'après-midi, Clémence est en train de s'occuper d'une cliente, une brebis venue se faire défriser, quand un ours entre dans le salon…

— Bruno ! s'exclame Clémence, stupéfaite.

— Tu sais très bien que je ne m'appelle pas Bruno mais Bernard !

grogne l'ours en s'avançant vers la jument, les sourcils froncés. Et tu me feras le plaisir de ne plus raconter des bêtises sur moi. Je ne suis pas ton petit ami !

Dans le salon, un silence de mort est tombé. Tout le monde regarde Clémence… qui éclate d'un rire un peu forcé.

— Mais bien sûr ! Oh, Bernard, comme ça me fait plaisir de te revoir ! C'est incroyable comme tu ressembles à Bruno… Comment vas-tu, depuis le temps ?

Dans le salon, les visages se détendent peu à peu. Apparemment très à l'aise, Clémence se met à discuter avec Bernard de leurs vieux souvenirs. Cependant, à l'intérieur d'elle-même, la petite jument est encore toute tremblante. Son mensonge a vraiment failli être découvert ! D'ailleurs, Judith la regarde d'un drôle d'air…

— J'ai hâte de connaître Bruno pour voir la ressemblance avec Bernard ! lui dit-elle d'un ton un peu sec quand l'ours est parti.

— Mais bien sûr ! répond Clémence. Ce week-end si tu veux !

Ce soir-là, Clémence n'a pas envie de rentrer directement chez elle après le travail. Elle a besoin de marcher. Après avoir long-temps déambulé dans les rues de la ville, elle arrive à la conclusion qu'elle est obligée de rompre avec son amoureux imaginaire. C'est la seule chose à dire à Judith pour se tirer de son mensonge !

Perdue dans ses pensées, la jument marche sans regarder devant elle. Soudain, elle se cogne contre un chevreuil.

— Excusez-moi, bredouille-t-elle. Je vous ai fait mal ?

— Mais non, pas du tout, répond le chevreuil, qui porte des lunettes de soleil malgré le temps très nuageux.

Clémence s'apprête à continuer son chemin, quand le chevreuil la retient par l'encolure.

— Mademoiselle ? dit-il en enlevant ses lunettes de soleil. Je peux connaître votre nom ?

— Heu, marmonne Clémence en

regardant le chevreuil.

Stupéfaite, elle cligne des paupières.

— Mais… s'écrie-t-elle, vous êtes Johnny PetShop !

Le chevreuil redresse ses bois fièrement.

— Oui, c'est moi, dit-il avant de remettre ses lunettes. Et vous ?

— Moi ? Moi, je ne suis rien, dit Clémence en secouant sa crinière. Une petite coiffeuse de rien du tout, à la vie sans intérêt. Excusez-moi, il faut que j'y aille !

— Pas avant de m'avoir dit votre nom ! répond le chevreuil d'un ton ferme.

— Je m'appelle Clémence. Au revoir !

Une nouvelle fois, le chevreuil la retient.

— Vous avez bien cinq minutes pour prendre un verre, Clémence ?

La jument avale sa salive avec difficulté. Elle a en face d'elle la célèbre star de la chanson, Johnny PetShop, et c'est parfaitement incroyable ! Elle-même n'aurait pas été capable d'inventer une histoire pareille…

Soudain, prenant le taureau par les cornes, si l'on peut dire, le chevreuil indique du bout du sabot le café d'en face.

— Allez, cinq minutes !

— D'accord, bredouille la jument, complètement dépassée.

Johnny PetShop entraîne aussitôt Clémence tout au fond du café, loin du regard de ses fans. Il n'a jamais vu une aussi jolie jument de sa vie. Les cinq minutes sont bien vite passées... Clémence est sous le charme. Johnny a une voix de velours, la même que quand il chante « Que je t'aime, ma PetShop » !

— Encore cinq minutes ! brame-t-il d'un ton suppliant.

Une heure plus tard, les deux PetShop sont encore en tête à tête. Les bois du chevreuil frôlent de plus en plus souvent la crinière de la jument et leurs sabots se touchent. Au moment de se quitter, ils échangent leurs numéros de téléphone.

Toute la soirée, la jument est sur un petit nuage. Enfin, elle va pouvoir raconter la vraie vérité à Judith et aux autres PetShop du salon !

Mais la réaction de Judith n'est pas celle qu'elle attendait…

— Une star de la chanson maintenant ! Tu crois que je vais avaler ça ?

— Mais c'est vrai !

— Oui, comme Bruno ! Ton histoire de sosie, c'était pas mal trouvé, mais là, je dois dire que tu y vas un peu fort.

Clémence préfère ne pas répondre. Mais dès qu'elle a une minute, elle téléphone à Johnny pour lui demander de venir la chercher au salon après le travail. Et il est d'accord !

Le cœur de la jument bat de plus en plus à mesure que la fin de l'après-midi approche. Enfin, la porte s'ouvre, laissant le passage au célèbre chevreuil...

— Johnny ! s'écrie Clémence, radieuse.

— Ma chérie ! répond Johnny. Tu es prête ? Je t'invite à dîner aux chandelles.

— Super ! hennit Clémence. Au revoir tout le monde, à demain !

Son encolure contre celle du chevreuil, elle quitte le salon sans un regard derrière elle. Mais elle les imagine, Judith et les autres, bouche bée et les yeux écarquillés. Ils sont obligés de la croire, maintenant !

Après le repas aux chandelles, Clémence danse toute la nuit avec Johnny et, le lendemain, elle a vraiment des cernes sous les yeux. Elle arrive au salon, ivre de fierté et de bonheur, mais Judith l'accueille avec un petit rire ironique.

— Dis donc, tu as de la suite

dans les idées, toi ! Ça t'a coûté combien de louer le sosie de Johnny PetShop ?

— Mais ce n'est pas un sosie ! proteste Clémence.

Un éclat de rire général salue ses mots. Personne ne croit la jument !

La journée est difficile pour Clémence. Pour se moquer d'elle, les autres PetShop sifflotent sur son passage la célèbre chanson de Johnny : « Que je t'aime, ma PetShop ». Dans la tête de la jument, les idées noires s'enchaînent. Elle se dit que de toute façon Johnny ne restera pas avec une petite coiffeuse de rien du tout. Son histoire avec la star n'aura été qu'un mensonge de plus pour les autres. Voilà, sa décision est prise, elle va dire à Johnny qu'elle préfère arrêter ! Aussitôt dit, aussitôt fait, la jument envoie un texto au célèbre chanteur…

Mais moins d'un quart d'heure plus tard, la porte du salon s'ouvre sur Johnny PetShop !

— Clémence ! lance-t-il en arrivant au petit trot devant la jument. Je t'aime !

Dans le salon de coiffure, tout le monde s'esclaffe :

« Vraiment épatant, ce sosie ! »

Le chevreuil agite ses bois, en colère.

— Je ne suis pas un sosie ! Et je vais vous le prouver…

Sous les yeux incrédules des coiffeurs, Johnny entonne son tube :

« Que je t'aime, ma PetShop »…
La chanson finie, il l'embrasse sous
les applaudissements des PetShop
enfin convaincus.

Ce soir-là, après le travail,
Clémence propose à Judith d'aller
boire un verre. Courageusement
et sans omettre un détail, elle lui
avoue tous ses mensonges : Bruno,
Isadora, les Bahamas… Elle lui
explique qu'elle inventait tout
parce que sa vie manquait d'intérêt.

— Je ne sais pas si ça va durer,

mon histoire avec Johnny, conclut-elle, mais de toute façon, je n'ai plus envie de mentir.

— Tu sais, lui répond la loutre, j'admire beaucoup ton imagination. Tu devrais écrire des histoires !

— Tu crois ? répond Clémence.

Le soir même, la jument prend un cahier et commence un roman. Elle y prend tellement de plaisir qu'elle y passe une grande partie de la nuit. Le lendemain soir, elle s'y remet et, en moins d'un mois, son roman est fini. Enthousiaste, l'éditeur de la ville l'accepte immédiatement. Et vous savez quoi ? Le roman de Clémence est un tel succès que la jument devient aussi célèbre que le chevreuil !

Adrien

C'est la fin du mois de juin et Adrien vient de passer son dernier examen de mathématiques. Tous les PetShop de l'université laissent éclater leur joie. Fini les révisions ! Mais Adrien, lui, regrette presque que les examens soient terminés.

Car à cette occasion, l'université organise le soir même une grande fête au PetShop bar, et les fêtes, c'est son cauchemar !

Évidemment, Adrien n'est pas obligé d'y aller. Il peut rester chez lui, comme d'habitude, à faire des équations ou à chanter tout seul devant le portrait de son arrière-grand-père, un célèbre rossignol chanteur. Mais il a déjà raté la fête de Halloween, la fête de Noël, la fête de Pâques et la fête du Jour National des PetShop ! S'il ne s'oblige pas à aller à celle-ci, il n'osera plus participer à aucune sortie et bientôt, il ne pourra même plus sortir de chez lui…

Sa décision est prise. Il ira au

PetShop bar et même, il dansera ! Le cocker se regarde dans la glace. Il a du charme, avec ses belles oreilles en peluche laineuse. Il y a des PetShop beaucoup moins beaux que lui qui invitent les filles à danser…

Comme le PetShop bar n'est qu'à une dizaine de kilomètres, Adrien décide d'y aller en vélo, histoire de se décontracter. Pendant le trajet, le cocker est très confiant, mais à peine arrive-t-il sur le parking du PetShop bar que son estomac se serre. Tous les PetShop autour de lui arrivent au moins par deux. Ils rient et s'interpellent, très à l'aise.

Au prix d'un gros effort, le cocker attache son vélo et gravit l'escalier qui mène au PetShop bar. Au moment où il entre sous l'immense coupole de la boîte de nuit scintillante de lumières, tous les yeux se tournent vers lui...

En fait, le cocker se trompe : personne ne le regarde spécialement. Mais comme il sort très peu, les autres PetShop ne le connaissent pas, alors il est persuadé que tout le monde se demande pourquoi il est invité !

Dix minutes plus tard, après avoir bu une coupe de champagne, Adrien n'a pas échangé la moindre parole ni même le moindre sourire avec aucun de ses camarades. Le pauvre cocker se dirige vers la sortie en se cachant derrière ses oreilles.

Il ignore que, tout près de lui, un autre PetShop est en train de faire exactement la même chose. C'est Oscar, un caméléon, qui est beaucoup plus doué encore que le cocker pour passer inaperçu…

Après avoir pris la couleur orange des murs du PetShop bar grâce à ses super cellules, le caméléon est en train d'imiter le bleu de la porte de sortie. Il l'imite tellement bien qu'Adrien ne distingue pas le caméléon de la porte et quand il essaie de l'ouvrir, c'est le choc !

— Oh, pardon ! glapit le cocker

en devenant rouge comme une tomate.

— Pardon ! répond Oscar en devenant rouge, lui aussi, par réflexe.

Les deux PetShop sont tellement gênés et intimidés qu'ils n'arrivent même pas à se regarder en face.

— Bon, eh bien au revoir, bredouille Adrien en pivotant l'arrière-train.

— Au revoir, répond Oscar.

Le caméléon fait semblant de rester au PetShop bar pour ne pas sortir en même temps qu'Adrien. Redevenu de la couleur orange des murs, il attend quelques minutes, puis pousse la porte à son tour. Malheureusement, le cocker est toujours là ! Il semble avoir des ennuis avec son vélo. Vite, Oscar tourne la tête, descend les marches à toute vitesse et se dirige vers sa voiture. Mais au bout de quelques mètres, pris de remords, il s'arrête et rebrousse chemin.

En arrivant devant Adrien, le caméléon lutte contre lui-même pour ne pas imiter les graviers roses du parking…

— Excuse-moi de te déranger, dit-il, la gorge sèche, mais tu as peut-être besoin d'un coup de patte ?

Adrien relève la tête, stupéfait que quelqu'un lui propose son aide. Il écarte ses deux oreilles qui cachent encore son visage.

— Mon pneu est crevé… et je n'ai rien pour le réparer.

Le caméléon respire un grand coup :

— Veux-tu que je te dépose chez toi ? Je suis en voiture…

À son tour, Adrien respire un grand coup. S'il rentre avec ce caméléon, il sera obligé de lui parler ! D'un autre côté, faire dix kilomètres à pattes en pleine nuit jusque chez lui, puis dix kilomètres encore pour revenir réparer son vélo, ça ne le tente pas vraiment…

Oscar regarde le cocker hésiter. Il espère qu'il va refuser. Sinon, il sera obligé de parler avec lui dans la voiture !

— D'accord, répond Adrien.

— Ma voiture est là, indique Oscar, la gorge nouée, en faisant un geste de la patte.

Quelques instants plus tard, le vélo d'Adrien est dans le coffre de la voiture du caméléon. Oscar démarre. Pendant plusieurs minutes, les deux PetShop restent muets, puis Adrien juge qu'il doit faire un effort de conversation par politesse.

— Je suis en section mathématiques, et toi ?

Le conducteur tourne la tête, interdit.

— Moi aussi ! Ça alors… Pourquoi on ne s'est jamais vus ?

Adrien laisse échapper un petit gloussement :

— Je dois dire que c'est difficile de me voir… Je me présente, Adrien, le plus grand timide des PetShop !

— Ah non, le plus grand timide des PetShop, c'est moi ! réplique le caméléon.

Les deux PetShop éclatent de rire. Bientôt, ils parlent sans retenue. Le caméléon trouve le cocker plein d'humour et inversement. Quel dommage qu'ils ne se soient pas rencontrés avant !

— Tu sais, dit le caméléon en arrêtant sa voiture devant la maison du cocker, j'ai entendu parler d'un Club des timides. Je n'ai jamais osé y aller seul, mais peut-être qu'à deux…

— D'accord, répond Adrien. Tu téléphones ?

— Pourquoi moi ? bredouille Oscar.

— J'ai une idée, dit Adrien. On n'a qu'à téléphoner à deux !

Le lendemain, après avoir réparé son vélo, Adrien retrouve Oscar chez lui, car le caméléon habite à côté du Club des timides.

— On se partage la tâche ? propose Oscar. Moi je compose le numéro et toi tu parles !

Le sang d'Adrien se glace dans ses veines.

— Et pourquoi pas l'inverse ?

— Parce que je suis encore plus timide que toi, répond le caméléon en devenant de la couleur du tapis. La preuve, quand je vais à la plage, j'imite la serviette sur laquelle je suis allongé pour qu'on ne me voie pas. Toi, tu ne fais pas ça, quand même !

Après avoir bien ri, Adrien hoche la tête :

— D'accord. Allez, puisqu'on parle de plage, je me jette à l'eau…

Oscar compose le numéro, puis il se dépêche de passer le téléphone à Adrien avant que quelqu'un ne réponde.

— Allô ? aboie le cocker d'une voix faible en se mettant à transpirer. Je... je... je vous app... je vous appelle parce que... que...

— Parce que vous êtes timide ? répond la voix au bout du fil.

— Oui, c'est ça ! dit Adrien.

— Si ça peut vous rassurer, moi aussi. Au Club des timides, tout le monde est timide !

— Mon ami Oscar aussi. En plus, c'est un caméléon.

— Je connais ça, je suis une pieuvre ! Je peux me mettre à ressembler à un dangereux serpent quand j'ai peur. Mais comme j'ai peur tout le temps, je ressemble à un dangereux serpent tout le temps. Tous les PetShop me fuient !

Quand Adrien raccroche, il a un sourire jusqu'aux oreilles. Il vient d'avoir une conversation normale avec quelqu'un qu'il ne connaît pas ! En général, même au téléphone, il ne peut pas dire deux mots de suite.

Cinq minutes plus tard, les deux PetShop arrivent au Club des timides, qui se trouve à dix mètres sous terre. Ludivine la pieuvre les accueille. Heureusement, elle ne ressemble pas à un dangereux serpent !

— Venez, dit-elle en agitant gracieusement ses longs tentacules, je vais vous présenter. On est en train de faire un exercice de « hurlements », entre guillemets. Vous allez participer !

Les deux nouveaux venus se regardent, très inquiets. Ils entendent des cris de sauvage provenant de la pièce voisine. Plus morts que vifs, ils suivent la pieuvre. D'un coup d'œil, Adrien remarque qu'Oscar s'est couvert de pastilles de couleur pour se confondre avec le sol !

Quand ils entrent dans la pièce, les trois PetShop présents – une grenouille, un zèbre et un lapin – se taisent. Ce silence est pire que tout ! En quelques instants, Oscar imite la couleur des murs, du plafond, du sol et des meubles. Un véritable kaléidoscope ! Un tout petit peu plus courageux, Adrien tente vaillamment de sourire.

— Je vous présente Adrien et Oscar, dit Ludivine.

— Moi, c'est Jeanne, dit la grenouille. Je suis tellement timide que je passe mon temps à me camoufler en prenant la couleur de mon environnement.

— Comme moi ! s'écrie Oscar.

— Moi aussi, dit Ludivine. Et je vous jure que ça aggrave notre cas !

— Moi, je trouve que vous avez de la chance, intervient le zèbre. Je m'appelle Ernest et je me fais toujours remarquer à cause de mes rayures. L'angoisse…

— Je m'appelle Herbert, finit le

lapin. Moi, je m'aplatis dès que je peux, mais hélas il y a toujours mes oreilles qui dépassent !

Tous les PetShop éclatent de rire. Puis, Adrien raconte qu'il se cache derrière ses oreilles et tout le monde s'amuse à essayer de faire pareil. Pour le lapin, ça va, mais pour les autres, ce n'est pas évident !

Très vite, les deux nouveaux PetShop se sentent à l'aise. L'exercice de « hurlements »

consiste à faire semblant de s'éner-
ver après quelqu'un pour prendre
de l'assurance. Adrien et Oscar
ne savent plus s'ils crient ou s'ils
rient, tellement c'est drôle. Puis,
Ludivine propose un exercice où il
faut se regarder dans les yeux et là
encore, c'est difficile de ne pas rire.
La séance se termine par une leçon
d'histoires drôles. En connaissant
quelques blagues, c'est beaucoup
plus facile de se faire des amis dans
une soirée !

Quand les deux PetShop sortent
du Club, ils sont enchantés. Il y a
une seconde réunion demain et ils
ont bien l'intention d'y participer !

Au bout de quelques semaines,
les amis ont vaincu une grande

part de leur timidité. Adrien a même réussi un « défi » : il est allé demander l'heure à quelqu'un dans la rue. Le lendemain, Oscar se lance aussi. Interdiction de se camoufler, bien sûr ! Comme Adrien, il réussit sans trembler. Tandis que le caméléon raccompagne le cocker chez lui en voiture, les deux PetShop bavardent gaiement.

— Le véritable défi pour moi, confie le cocker, serait d'arriver à chanter devant quelqu'un. Mais ne le dis à personne, promis ?

— Promis !

Hélas, le caméléon ne peut tenir sa longue langue. Croyant bien faire, il raconte le souhait secret du cocker aux autres membres du club. Évidemment, tous les PetShop pressent Adrien de chanter devant eux, mais le cocker refuse aussitôt. Désormais, à chaque réunion, c'est la même chose : on veut l'obliger à chanter…

Un jour, Adrien manque une réunion. Puis la suivante. De nouveau, le cocker se renferme complètement sur lui. Il ne répond même plus au téléphone. Le pauvre PetShop est très malheureux. Lui qui se croyait presque guéri !

Mais un jour, qui voit-il arriver devant la porte de son jardin ? Oscar en vélo !

— Je voudrais te présenter mes

excuses, dit le caméléon, j'ai agi stupidement. Tu veux bien faire un tour de vélo avec moi ? Le vélo, ça permet de remonter la pente ! ajoute-t-il avec un sourire.

Adrien ne peut s'empêcher de rire et accepte. Les deux amis passent une journée formidable, ils sont si contents de se retrouver ! Adrien finit par demander des nouvelles des PetShop du club et il s'aperçoit qu'ils lui manquent beaucoup…

— Tu pourrais leur proposer de venir se balader demain avec nous à vélo ?

Les PetShop du club sont tous d'accord. Le lendemain, six joyeux timides – une pieuvre, un lapin, un zèbre, un caméléon, une grenouille et un cocker – s'élancent sur leurs vélos pour parcourir les routes fleuries de la campagne. Ils sont fous de joie de retrouver Adrien qui se sent le plus heureux des PetShop timides.

À l'heure du déjeuner, ils s'arrêtent pour pique-niquer près de la rivière quand, surprise, un autre groupe de cyclistes s'arrête juste à côté ! Les timides se regardent, horrifiés.

— Ils ont l'air en difficulté ! souffle Ludivine.

— Tu leur demandes ce qu'ils veulent ? chuchote Adrien.

— Euh, bredouille la pieuvre qui ressemble maintenant à un dangereux serpent, j'ai trop peur… Vas-y, toi…

Évidemment, personne n'y va. C'est alors que les PetShop voient un des cyclistes venir vers eux, un petit coq très sûr de lui…

— On est désolés de vous déranger, mais l'un de nous a crevé et on n'a rien pour réparer…

— J'ai ce qu'il faut ! répond Adrien.

D'un pas décidé, il prend son matériel et son courage à deux mains pour aller aider le PetShop à réparer son vélo. Quand il revient, il a l'air un peu gêné.

— Ils nous proposent de déjeuner ensemble !

Impossible de refuser… Mais en fait, la glace est vite brisée et, bientôt, les deux groupes parlent de vélo avec animation. C'est facile de communiquer quand on a une activité en commun ! Au dessert, Oscar raconte une histoire drôle et ses amis enchaînent.

— On ne s'ennuie pas avec vous ! constate le coq.

Et vous savez quoi ? Soudain, sans vraiment y réfléchir, Adrien se met à chanter… Il chante si bien que les applaudissements fusent et que tous les PetShop crient « Encore ! ». Depuis, toutes les réunions du Club des timides se terminent en chansons… et les repas avec leurs amis cyclistes aussi !

Jacques

Aujourd'hui, trois PetShop étrangers ont réservé dans le restaurant de Jacques : Alisha, une chatte indienne, Li, un castor chinois, et Chikako, une lapine japonaise. Ils sont cuisiniers dans leurs pays et viennent pour un colloque mondial sur la baguette de pain française. Après le repas, succulent comme d'habitude, Jacques leur demande s'ils sont satisfaits. Les clients l'assurent que son steak-frites est le meilleur du monde !

— Au fait, Jacques, lance Alisha, quand viens-tu me voir en Inde ?

— Et après, tu pourrais faire un petit tour par la Chine ! continue Li.

— Et la Chine, ce n'est pas très loin du Japon, termine Chikako. Allez, ça fait des dizaines de fois que l'on t'invite. Dans mon pays, c'est très impoli de refuser, tu sais !

Le singe se tortille, gêné. Il n'aime pas contrarier ses amis, surtout Chikako, car il a un faible

pour la ravissante lapine…
Mais Jacques déteste voyager. Le dépaysement ?
Quelle horreur !

— J'aimerais bien, mais…

— Pas de « mais » ! miaule Alisha en faisant le gros dos. D'ailleurs, ton billet est retenu, on a tout organisé ! Tu pars la semaine prochaine ! Tu nous avais bien dit que tu étais en vacances, non ?

Jacques a beau protester, il comprend vite qu'il ne peut pas refuser sans vexer ses confrères.

Une semaine plus tard, la mort dans l'âme, le voilà assis dans le siège d'un Boeing 747 de la Compagnie PetShop Air. Le pauvre singe a emporté une tonne de médicaments dans ses bagages, certain que la nourriture étrangère va le rendre malade. D'ailleurs, pour plus de précautions encore, il a emporté aussi un assortiment de boîtes de conserve : cassou- let, choucroute et saucisses aux lentilles, ainsi qu'un petit réchaud.

Première étape : Bombay. Un peu étourdi par les heures de vol, Jacques cherche Alisha parmi la foule qui attend au débarquement des passagers. Le singe est éton- né. Tous les PetShop sont vêtus de costumes traditionnels : les femmes avec des saris et les hommes avec des tuniques et des pantalons bouffants. Mais Jacques a beau chercher, il ne voit pas Alisha. Il la reconnaîtrait facilement, car la chatte est toujours en mini-jupe et en talons aiguilles !

Soudain, une patte de velours se pose sur son bras. Jacques lève les yeux sur la PetShop qui lui sourit, enroulée dans son voile chatoyant. Ses yeux s'écarquillent :

— Alisha !

— Bienvenue en Inde, Jacques !

Quelques instants plus tard, le

singe se retrouve dans la voiture d'Alisha. Ils sont pris dans un flot de voitures, de camions, de scooters, de vélos, de calèches et de voitures à pédales, sans compter les nombreux PetShop qui traversent la route en pleine circulation ! Comme les autres, Alisha force le passage en klaxonnant. Jacques est mort de peur. Il se dit qu'il a débarqué chez les sauvages !

Après ce trajet infernal dans la poussière et le bruit, ils arrivent enfin chez Alisha. Quelle surprise ! La jeune chatte habite dans une très belle maison et elle a au moins une dizaine de PetShop pour la servir. Il y a même un PetShop qui taille le gazon avec des ciseaux !

— C'est l'Inde, explique la chatte en voyant la tête que fait le singe. C'est très différent de l'Europe, tu sais ! Nous sommes si nombreux qu'il faut du travail pour tout le monde. Je te montre ta chambre ? Le dîner sera servi dans une heure…

Une fois seul, conformément à son plan, Jacques décide de manger en cachette sa bonne nourriture française, afin de manger le moins possible la cuisine inconnue dont il se méfie. Il ouvre le compartiment secret de sa valise où sont rangées ses boîtes de conserve mais, après un instant d'hésitation, il le referme. Il a trop peur qu'Alisha sente l'odeur du cassoulet !

Quand le singe arrive dans la salle à manger, il est mort de faim. Alisha et ses trois enfants, des jeunes chats très bien élevés, sont déjà là…

— J'espère que tu vas apprécier ton premier repas indien, lui dit la maîtresse de maison.

Elle donne un coup de sonnette, et un gros matou très stylé arrive en poussant devant lui une table roulante chargée de nourriture. Jacques se met à saliver. Ça sent bon !

— Chez nous, on met tout sur la table et chacun se débrouille, explique Alisha. L'usage veut que l'on attende que l'invité commence à manger.

Jacques fronce les sourcils. Il voudrait bien, mais où sont les couverts ? Un peu stressé, le singe cherche derrière les assiettes et les plats, soulève les serviettes, jusqu'à ce que tous les chats éclatent de rire.

— Qu'est-ce que j'ai fait de mal ? grimace le singe, vexé.

— Chez nous, on se sert de galette de pain comme cuillère ! répond Alisha. Regarde…

La chatte tend la patte, prend délicatement une galette, la roule, puis la plonge dans un plat où elle ramasse un peu de nourriture. Puis, elle la repose.

— À toi…

Un peu hésitant, et content de

s'être bien lavé les pattes avant de passer à table, le singe imite la chatte, ramasse de la nourriture et la porte à sa bouche.

« Oh » ! s'exclament les enfants, choqués.

Le singe reste la bouche ouverte. Qu'a-t-il fait de mal, encore ?

— Chez nous, on ne mange qu'avec sa main droite, explique Alisha en se retenant de rire. Jamais avec sa main gauche, elle est impure. Tu sais pourquoi ?

— Non, dit le singe.

— Parce qu'en Inde, la main gauche sert à se laver le derrière !

Tandis que le singe devient rouge comme une tomate, les enfants miaulent de rire à s'en tordre. Malgré sa faim, Jacques a envie de déguerpir. Son cassou-let l'attend ! Mais évidemment, il est trop bien éduqué pour faire ça. Très énervé, il enfourne une bouchée… et la recrache au nez d'Alisha.

— Oh, miaule la délicate petite chatte en s'essuyant le museau avec le coin de sa serviette, tu as dû tomber sur un piment !

Heureusement, la féline PetShop est tellement efficace qu'en un clin d'œil tout est nettoyé. Au cours du repas, le singe apprend à manger à l'aide des galettes. Finalement, il se régale !

—Je pense que je vais ajouter un steak-frites à l'indienne à la carte de mon restaurant, s'écrie-t-il, enthousiasmé. Mais sans piment !

Deuxième étape : la Chine. Le singe regrette presque de partir, maintenant qu'il s'est habitué aux galettes. Et puis, la Chine, ça lui fait encore plus peur que l'Inde. Peut-être parce que l'Inde, maintenant, il connaît ! En plus, Li ne peut pas venir le chercher à l'aéroport...

Après quelques heures d'avion, le singe débarque à Pékin. À son grand soulagement, il trouve un taxi tout de suite. Le chauffeur est un oiseau qui ne gazouille que le chinois, mais Jacques lui fait lire son adresse sur la carte de visite de Li et une demi-heure plus tard, le voilà devant l'immeuble du castor. D'après la carte de visite, les bureaux de Li sont au 5e étage…

Comme les étages ne sont pas indiqués, le singe les compte, mais quand il arrive en haut, il n'en a compté que quatre… Croyant s'être trompé, il redescend, remonte en comptant attentivement, mais encore une fois il n'arrive qu'à quatre ! Le singe est presque prêt à reprendre le chemin de l'aéroport quand Li apparaît…

— Mon ami, comment ça va ? Je suis si content ! Excuse-moi, j'aurais dû te dire qu'il n'y a pas de quatrième étage en Chine car le chiffre 4 porte malheur ! Le 5e étage est le 4e…

— Vous êtes superstitieux ? s'écrie le singe.

— Exactement, répond Li, mais on n'est pas seulement super-stitieux. On est aussi super-efficaces… Je viens de signer un contrat très prometteur !

Après l'avoir fait entrer, le castor le présente aux PetShop d'affaires avec qui il va ouvrir une chaîne de restaurants aux États-Unis. Jacques est très impressionné. Il ne s'était pas douté une seule seconde que le pays de Li était si moderne !

Puis, ils passent à table et, cette fois, ce ne sont pas des galettes qu'on utilise pour manger, mais des baguettes... Heureusement, Li lui explique et, très vite, le singe manie aussi bien la baguette qu'un PetShop d'orchestre. Il commence à prendre la nourriture en faisant très attention de manger proprement, mais très vite, il relève la tête, intrigué par des bruits étranges...

Le singe écarquille les yeux. Autour de lui, les PetShop chinois mangent comme des porcs. Ils rotent, parlent la bouche pleine, avalent la nourriture en mâchant à peine… Quels PetShop mal élevés !

Devant le regard sévère du singe, Li secoue la tête.

— Je vois que tu n'apprécies pas la nourriture ! lui dit-il d'un ton de regret.

— Mais si ! proteste Jacques.

— On ne le dirait pas. Chez nous, manger vite et bruyamment veut dire que l'on apprécie le repas. Sinon, c'est que l'on n'aime pas !

— Je ne savais pas, bredouille Jacques. C'est très bon, je t'assure…

— Alors montre-le !

Pendant quelques instants, Jacques regarde les PetShop chinois enfourner leur nourriture, puis il lève ses baguettes… et c'est parti ! Au début, le singe se force un peu puis, assez vite, il rivalise avec les autres convives pour manger bruyamment. Quel défoulement ! Ça lui rappelle quand il était petit et qu'il mangeait en cachette de ses parents…

— C'était délicieux ! dit-il à Li quand son assiette est complètement vide.

À sa grande surprise, la réaction du castor n'est pas celle qu'il attendait. Li frappe de sa grande queue plate sur sa chaise d'un air contrarié. Jacques apprend alors qu'en Chine, il faut laisser de la nourriture dans son assiette, sinon cela veut dire qu'on ne vous a pas servi assez généreusement ! Le singe a beaucoup de mal à refuser qu'on lui serve une deuxième assiette aussi pleine que la première…

— En tout cas, dit-il à Li quand le castor le raccompagne le lendemain à l'aéroport, je vais ajouter un steak-frites à la chinoise à la carte de mon restaurant !

Troisième étape : Tokyo. Jacques a hâte de retrouver Chikako, sa belle cliente japonaise. Son cœur bat très fort quand il l'aperçoit dans la foule en sortant de l'avion.

Il est juste étonné qu'elle ne soit pas en kimono… et même un peu déçu. Elle doit être si jolie dans les vêtements de son pays !

— Bonjour, Jacques ! s'écrie Chikako en l'embrassant.

— Bonjour, Chikako ! répond Jacques en japonais. Pour impressionner son amie, il a étudié les bases de la langue avant de venir.

Une heure plus tard, les deux PetShop arrivent en bas du mont Fuji, où habite Chikako.

— C'est magnifique ! s'écrie le singe, ravi, en apercevant le sommet enneigé de la célèbre montagne.

— Je préfère habiter au calme, lui explique Chikako. À Tokyo, la vie est trop stressante !

— Je te comprends, répond le singe. Moi aussi je préfère la campagne !

Elle arrête sa voiture devant une jolie maison en bois ouverte sur un jardin japonais. Les arbres sont taillés comme des bonzaïs et des petits ponts en bois sculpté enjambent des bassins d'eau couverts de nénuphars. Tout à son émerveillement, le singe ne remarque pas que la jolie lapine s'est déchaussée en entrant...

— Peux-tu enlever tes chaussures ? lui demande-t-elle. Cela évite de mettre de la poussière dans la maison.

— Bien sûr ! bredouille le singe, gêné.

— Tu as sans doute envie de te rafraîchir, reprend Chikako en souriant. Je te conduis à la salle de bains. Chez nous, au Japon, la propreté est très importante.

— Je suis bien d'accord, approuve le singe.

— Et ici, ajoute Chikako en entrant dans la salle de bains, on se lave avant de prendre son bain !

Jacques regarde avec des yeux ronds la baignoire couverte d'un couvercle :

— C'est pour garder l'eau chaude, explique la lapine. On ne se lave jamais avec du savon dans la baignoire ! On se lave d'abord dans la douche. Le bain, c'est fait pour se relaxer… Ce kimono est pour toi, ajoute-t-elle en montrant de la patte un vêtement posé sur un tabouret en bois. Nous prendrons le thé ensuite…

Après s'être inclinée, la PetShop japonaise se retire. Dès qu'il est seul, Jacques suit bien chacune de ses indications. C'est un vrai plaisir de se relaxer dans l'eau chaude parfaitement propre ! Une fois sec, le singe enfile son kimono. En se regardant dans le miroir, il ne peut s'empêcher de rire. Mais ça ne lui va pas si mal et, en plus, c'est très agréable à porter.

Il rejoint Chikako dans le vaste séjour, seulement meublé de coussins et de tables basses posés sur des tatamis. La lapine a mis son kimono, elle aussi. Elle est ravissante !

— Des amis se joignent à nous pour prendre le thé, annonce-t-elle. Nous le boirons en ton honneur !

Les invités font leur entrée, tous en kimonos. Très silencieux, ils s'assoient en tailleur sur les coussins disposés en cercle, tandis que Chikako prépare les ustensiles du thé. Avec une spatule, chacun met un peu de thé en poudre dans son bol, puis Chikako utilise une louche pour servir de l'eau à ses amis. C'est une véritable cérémonie pleine d'échanges de courbettes ! Jacques est si attentif et si désireux de respecter les coutumes du pays qu'il s'en tire très bien…

— Bravo, lui dit Chikako quand les invités sont repartis, tu as réussi le test !

— Le test ?

— Oui, la cérémonie du thé permet de mieux cerner l'esprit d'un PetShop. J'ai vu que le tien était calme, attentif et doux. Tu es vraiment le bienvenu, ajoute la lapine, la voix soudain enjôleuse… Si on se mettait en jogging pour aller se promener dans la campagne ?

Le singe est tout à fait d'accord ! Au cours de la balade, Chikako lui prend la patte et, quand tous deux rentrent à la maison, ils sont tendrement enlacés. Finalement, Jacques décide de rester au Japon jusqu'à la date où Chikako doit revenir en Europe… Puis, très vite, les deux PetShop font des allers-retours entre le Japon et la France et, bientôt, ils parlent mariage. Et vous savez quoi ? Le rêve de Jacques est maintenant de faire un voyage de noces autour du monde !

FIN

La prochaine aventure des PetShop est
en Bibliothèque Rose, bien sûr !

tome 10 : Emma n'aime pas partager

Pour tout connaître sur ta série préférée, va sur le site :
www.bibliotheque-rose.fr

Les Petshop ont toujours des

tome 1 : Charlie est jaloux

tome 2 : Basile est complexé

tome 3 : Gustave regarde
trop la télé

tome 4 : Valentine est amoureuse

tonnes d'histoires à te raconter !

tome 5 : Jules fait son chef

tome 6 : Lucie a un admirateur
secret

tome 7 : Anne est paresseuse

tome 8 : Romain s'ennuie

Comment est-ce que tu imagines ton PetShop ?

C'est plutôt un chat ou une lapine ?
Est-ce qu'il a des plumes ou des poils ?
Et ses oreilles, est-ce qu'elles sont comme celles de Valentine
la biche ou comme celles de Melchior le hamster ?
Sur cette page, tu peux décrire le PetShop de tes rêves...
N'oublie pas de lui donner un prénom !

_____

_____

_____

_____

_____

_____

_____

_____

_____

_____

_____

_____

_____

_____

Maintenant que tu as décrit en détail
ton PetShop, tu peux le dessiner dans ton livre.
Il y a de la place juste ici !

Table

« Pour l'éditeur, le principe est d'utiliser des papiers composés de fibres naturelles, renouvelables, recyclables et fabriquées à partir de bois issus de forêts qui adoptent un système d'aménagement durable. En outre, l'éditeur attend de ses fournisseurs de papier qu'ils s'inscrivent dans une démarche de certification environnementale reconnue. »

Imprimé en Roumanie par G. Canale & C.S.A
Dépôt légal : avril 2012
Achevé d'imprimer : avril 2012
20.20. 2922.1/01 – ISBN : 978-2-01-202922-4
Loi n° 49956 du 16 juillet 1949
sur les publications destinées à la jeunesse